果仁小镇

一场糖果雨

张合军　著

[乌克兰] 尼古拉·洛马金

[乌克兰] 柳德米拉·奥西波娃　绘

GUANGXI NORMAL UNIVERSITY PRESS

广西师范大学出版社

·桂林·

出版统筹：施东毅

品牌总监：耿　磊

选题策划：陈显英　霍　芳

特约策划：闫晓玫

责任编辑：李茂军

助理编辑：霍　芳

美术编辑：卜翠红

营销编辑：杜文心　钟小文

责任技编：李春林

特别鸣谢：果仁小镇（北京）科技有限公司

图书在版编目（CIP）数据

一场糖果雨 / 张合军著；（乌克兰）尼古拉·洛马金，（乌克兰）柳德米拉·奥西波娃绘. —桂林：广西师范大学出版社，2019.1

（果仁小镇）

ISBN 978-7-5598-1330-5

Ⅰ．①一… Ⅱ．①张…②尼…③柳… Ⅲ．①儿童故事－图画故事－中国－当代 Ⅳ．①I287.8

中国版本图书馆 CIP 数据核字（2018）第 243047 号

广西师范大学出版社出版发行

（广西桂林市五里店路 9 号　邮政编码：541004）

（网址：http://www.bbtpress.com）

出版人：张艺兵

全国新华书店经销

北京尚唐印刷包装有限公司印刷

（北京市顺义区牛栏山镇腾仁路 11 号　邮政编码：101399）

开本：889 mm × 1 060 mm　1/16

印张：3　　　字数：70 千字

2019 年 1 月第 1 版　　2019 年 1 月第 1 次印刷

定价：45.00 元

如发现印装质量问题，影响阅读，请与出版社发行部门联系调换。

致云初，Natalie，咏凝，咏歆，
祝福你们平安，健康，喜悦，幸福。

　　这本书是儿童的完美礼物，是出乎我们意料的艺术成就，中乌两国素昧平生的艺术家为读者呈现出的新的童话世界令人惊叹。父母给孩子读这样一本魔法书，将向他们展示世界的多样性和美好愿望的力量。

——［乌克兰］尼古拉·洛马金

　　在这个充满爱与渴望的世界，为了梦想而面对挑战，希望所有的孩子都能幸福，祝愿所有孩子开心的愿望都能实现。

——［乌克兰］柳德米拉·奥西波娃

月亮像块糖果，
我们都想品尝，
一口吃下肚里，
世界变了模样。

　　凡尔纳先生是一位勇敢的探险家，他曾经到达过地球的"心脏"——地心，在地心的海洋里经历了一场**海怪大战**。

嗖—

他还曾经坐在炮弹里飞向了月亮。

凡尔纳先生最喜欢收集各种果仁，在完成了全球探险之旅后，他便带着从不同国家收集到的果仁，来到地心的入口处，与果仁们过起了快乐的生活，他给这里取了个名字：**果仁小镇**。

　　果仁小镇里有一棵**开心果树**，来自希腊的开心果柯拉能感应到地球上所有小朋友的心愿。每当有小朋友许下愿望，树枝上就会"**嗖**"地结出一颗开心果。

　　果仁们最喜欢做的事，就是帮助小朋友实现愿望。

在英国的一个家庭里⋯⋯

"艾米莉，这是你今天第十一次要糖果了，**小心蛀牙！**"爸爸皱着眉头说。

　　"爸爸，爸爸你知道吗，今天主持人爱德华在直播的时候竟然偷吃了糖果！"艾米莉赶紧把糖果藏在身后。

　　"所以爱德华先生只能做又苦又累的差事！宝贝，很晚了，快去刷牙，睡觉。"

　　躺在被窝里，艾米莉想："月亮糖一定很甜吧，是谁咬了它一口？"

　　梦里，她和爸爸又来到了那个非洲的小村庄，和许多黑皮肤的小朋友一起跳舞唱歌。突然，月亮变成了无数的糖果，像雪花一样飘落下来，小朋友们好开心啊。

一 场 糖 果 雨 ！

艾米莉在梦里甜蜜地笑了。

这个愿望迅速传向了地心，传到开心果树。

与此同时，果仁小镇
的居民们兴致勃勃地观看
了蟋蟀玛莎的演唱会后，
正陆续走出剧场。

"看呀看呀，又长出一颗开心果！"来自墨西哥的玉米冈萨雷斯欢快地喊道。

"太棒了，我又多了一个妹妹！"开心果柯拉兴奋地拍着手，"我是你的姐姐柯拉，快下来让我们瞧瞧你。"

"你们好，我是开心果艾米莉。"她说着从树上跳下来，"我是英国小女孩艾米莉的一个美丽愿望，也是一个秘密。"

"你快说说，是什么秘密？"玉米冈萨雷斯迫不及待地问。

"她想要……"

下一场糖果雨！

　　"哇哦！" 　听完开心果艾米莉的话，大家忍不住一个个张大了嘴巴。

　　"糖果雨！ 真是异想天开，哪儿有那么多的糖果？快放弃这个愿望，我们还是等下一颗开心果长出来吧！" 来自巴拿马的南瓜皮蒂晃着大脑袋说。

　　"**多有趣的愿望啊，一定有办法的！**"来自哥伦比亚的小草莓加西亚说，"我好像听凡尔纳先生说过，地球的肚子里有许多的'糖浆'。也许，我们可以把那些糖浆送到天上，变成糖果雨。"

"那还等什么，我们快去找糖浆吧！"玉米冈萨雷斯说着就钻进了通往地心的小洞。

"戴上萤火虫灯，地心里面黑咕隆咚什么也看不见。"来自中国的橙子阿阳拿来了萤火虫做的头灯。

通向地心的山洞越来越大，墙壁上有许多奇怪的图案。有的像是太阳炙烤着大地，有的像是恐龙在跨越山丘，有的像是长头发的原始人围着篝火跳舞，有的像是人赶着犀牛在耕地。

　　玉米冈萨雷斯带领大家在通向地心的山洞里飞快地跑着，他们一会儿感到温度上升，一会儿听到河水的声音，一会儿路过亮闪闪的金子、钻石、水晶，一会儿又看到河道，却没有水流。大家正在惊讶地边走边看……

突然，一个闪着刺眼光芒
的怪物拦住了去路。

小草莓加西亚鼓足了勇气
问："怪物先生，您知道糖浆
在哪里吗？"

"什么糖浆?
这里只有岩浆理发
师! 你们想剪个
什么发型?"
怪物挥舞着
红彤彤的剪
刀说。

要是被这把剪刀剪到还能活吗！

　　"我……我们不剪头发，您还是找别人吧！"玉米冈萨雷斯说完转身就跑。岩浆理发师可不愿放过这个机会，他用力**挥了一下剪刀**……

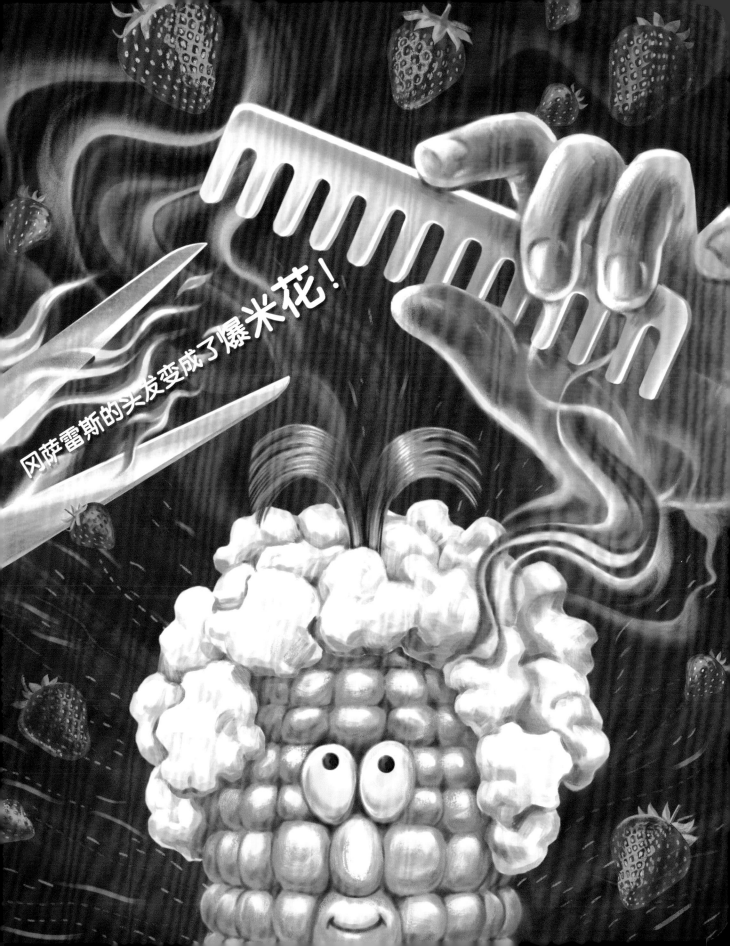

"哈哈！这个发型太酷啦！"岩浆理发师说着从玉米冈萨雷斯头上"摘"下一朵放在嘴里。"嗯！又香又甜，简直是**最美味的糖果！**"

原来，岩浆理发师剪刀的高温把小草莓加西亚和玉米冈萨雷斯的气味融合在一起，产生了美味的草莓爆米花。

南瓜皮蒂偷偷尝了一颗，哈，这爆米花简直比糖果还美味！

有了新发型的玉米冈萨雷斯有了个主意。"岩浆理发师先生，既然您很满意这个发型，那我们找来100万个玉米让您剪头发，然后，通过火山喷发出去，让全世界的人都看到您的杰作，可以吗？"

岩浆理发师很满意冈萨雷斯的建议，这可是个出名的好机会。"可是通过哪座火山喷发呢？"他一边问一边开始迫不及待地磨剪刀了。

"就去尼拉贡戈火山吧。"橙子阿阳说，"那是非洲非常著名的火山。"

"你懂的知识还不少嘛！就去尼拉贡戈火山。"岩浆理发师说。

"我很好奇，"橙子阿阳趁机问，"为什么地球肚子里的河道没有水呢？"

"那是因为人类把地下水都抽上去当作温泉泡澡用了。"

第二天，太阳照亮了非洲大陆……

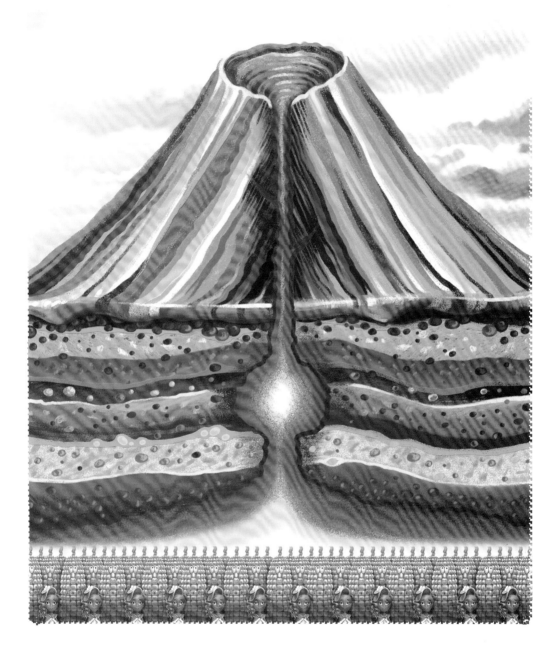

在通往地心的干涸河道里，冈萨雷斯的 100 万个玉米兄弟，和加西亚的 100 万个草莓姐妹做好了准备，玉米们在自己身上都写上了"艾米莉"。

地面上，非洲的小朋友们正在唱歌跳舞。突然，高高的尼拉贡戈火山冒出了浓浓的白烟，一直升到了云层里，大地开始颤抖，正当孩子们不知所措的时候……

　　火山喷发了！　天空被染成了七彩色，但落在人们头上、身上的是香甜美味的糖果爆米花！非洲的每一片森林、每一条河流上空都在下着糖果雨！孩子们、小动物们从来没有这么开心过，在"**雨**"中跳得更起劲了。

　　糖果雨的新闻迅速在全世界传播开来。当艾米莉一家通过电视看到糖果上写满了"艾米莉"时，所有人都惊呆了。艾米莉兴奋地跳了起来："天啊！爸爸，我不是在做梦吧！我的愿望实现啦！"

　　爸爸一把将艾米莉拥入怀里："亲爱的宝贝，你跟爸爸要糖果原来是想送给我们在非洲遇到的那些小朋友呀。我错怪你了，请你原谅爸爸！"

“艾米莉的真心感动了上天！”妈妈眼睛湿润了。一家人开心地拥抱在一起。

在地心里，岩浆理发师一边给凡尔纳先生剪着头发，一边得意地说着糖果雨的事。

"那天小草莓加西亚问我糖浆在哪里，她听您说过地心里有许多的糖浆？"

凡尔纳先生听了哈哈大笑："我说的是地心里有许多的岩浆！"

果仁小镇报

这是在地球吗？
火山喷出的糖果雨！

2018 年 5 月 26 日，非洲著名的活火山突然喷发，与以往喷出大量火山灰和"岩浆雨"不同，这次从火山口喷到高空，然后从天而降的，竟然是数量庞大的糖果爆米花！当地儿童非常开心地在这场糖果雨里跳了几个小时的舞蹈。最神奇的还不仅是这场糖果雨，而是每颗糖果上都写着一个名字：艾米莉！据当地小朋友说，一个月以前曾有一位名叫艾米莉的小女孩和她爸爸一起来非洲旅游，到底是什么样的神奇魔力使火山喷发一场写着着一个小孩名字的糖果雨呢？

据相关人士透露，通往地心的道路上聚集了 100 万个玉米、100 万个草莓，他们在岩浆理发师神奇的剪刀下变幻成美味的糖果爆米花，更为神奇的是爆米花外还包裹着精美的糖纸，想想都很诱人。

尼拉贡戈火山喷发这场糖果
雨的原因尚不明确，本报记者将

尼拉贡戈火山是非洲最著名的火山之一，是非洲中东部维龙加山脉的活火山，也是非洲最危险的火山之一。它在 1948 年、1972 年、1975 年和 1977 年、1986 年和 2002 年都发生过猛烈喷发。

火山是一个由固体碎屑、熔岩流或穹状喷出物围绕其喷出口堆积而成的高地。当岩浆喷发。

物理化学过程。地球内部存在的大量的放射性物质，在自然状态下变变，产生大量的热。这些热量无法散发到地面，温度不断升高，直至把岩石熔化，形成地球内的高温熔化状态。这些熔化的岩石一旦冲破地壳喷到地面，就形成了火山喷发。

从热力学理论的角度进行分析，火山应该是放出熔岩的过程产生的热使

岩浆理发师

果仁小镇报

这是在地球吗？
火山喷出的糖果雨

2018 年 5 月 26 日，非洲著
名的活火山突然喷发，与以往
出大量火山灰和"岩浆雨"不同
这次从火山口喷到高空，然
天而降的，竟然是数量庞
果爆米花！当地儿童非
在这场糖果雨里跳了！
舞蹈。最神奇的还不
果雨，而是每颗糖
一个名字：艾米
友说，一个月以
艾米莉的小女
非洲旅行。

岩浆理发师

现在，岩浆理发师真的成了**全世界都知道的理发师啦！**

凡尔纳先生

果仁小镇的大家长，来自他家乡法国的葡萄酒和领结是他的最爱，据说他有 7 个柜子的各式领结，都出自他自己的设计。他具有超级甚至疯狂的想象力、勇敢和智慧。他是一位爱探险的发现者，带领果仁小镇的居民们上天入地在全宇宙不断探索、发现了许多奥秘。

小朋友，你有一条智慧链接，请查收……

　　亲爱的小读者，你们可能不认识我，但你们的爸爸妈妈一定看过我的科幻故事，是的，我就是 19 世纪法国的科幻小说家儒勒·凡尔纳。我写过《地心游记》《从地球到月球》《海底两万里》等许多故事，我喜欢在作品里对科学进行大胆的幻想和推测，当时许多人都认为我疯了！但是我一直认为："但凡人能想象到的事物，必定有人能将它实现！"随着时间的推移，在我的小说中提及的很多东西，如飞机、电视、火箭、潜水艇等，逐渐变成了现实，人们又赞美我是"法国现代科幻小说之父"。尽管人生充满了戏剧色彩，但我对宇宙始终有一种神秘的崇拜。

岩浆理发师

来自地心，果仁小镇的神灵，拥有神奇的能量，掌管着地球上所有的火山（包括海底）。他是个热心肠，火红的大剪刀是他的标志，为别人剪头发是他最大的爱好。

小朋友,你有一条智慧链接,请查收……

火火火火火，岩浆理发师来啦！小朋友们，你们可知道，我从火山中喷出时的温度有多高吗？平均 1000℃！我可以将黄金熔化，对人类具有极大的威胁。记得那是你们人类时间公元 79 年，当时无比繁华的庞贝古城被维苏威火山毁灭，许多人受到了伤害。我提前好几天就通过火山用浓烟向周边的人们示警了，可他们许多人根本就没有逃跑的意思。有人说，陆地生物的大部分生活都依赖于火山喷发，从呼吸的空气，到生长食物的肥沃土壤，每次岩浆喷发对地球而言都是一次有益的新陈代谢，难怪直到今天仍然有许多人居住在火山周边不愿离去。

玉米冈萨雷斯

凡尔纳先生忠实的崇拜者，是位吉他高手，绝对的行动派，但常常会脑子比行动慢半拍，虽然这让他看上去有点鲁莽，但不乏勇敢、幽默。他喜欢帮助别人，到处都能看到他热心肠的身影。

小朋友,你有一条智慧链接,请查收⋯⋯

亲爱的小朋友，我是玉米冈萨雷斯——世界公认的"黄金作物"，是重要的粮食作物和饲料作物，也是全世界总产量最高的农作物，一直都被誉为长寿食品，含有丰富的蛋白质、维生素、微量元素等。什么？没见过我这种发型的玉米？其实你们去电影院的时候都见过的，哈哈哈，正是我冈萨雷斯带给全世界小朋友独一无二的美味爆米花！这是岩浆理发师的杰作，如果你们遇到他，说不定会得到一个更有意思的发型！哈哈哈！

小·草莓加西亚

小镇上的一位美人，她热情、善良、顾全大局，全身散发着迷人的草莓香气。她那双能够洞察人心的大眼睛，是最打动玉米冈萨雷斯的地方。她热爱做家务，家里整洁得堪比五星级大酒店！当然，比酒店更温馨的是家里到处充满了草莓香气。

小朋友,你有一条智慧链接,请查收……

亲爱的小读者，你们好！我是小草莓加西亚，人们都叫我"水果皇后"，其实我不喜欢做什么皇后啦，我的心上人也不是国王。人们给草莓家族这样高的评价，是因为天然种植的草莓不仅果肉多汁、酸甜可口，且有特殊的浓郁水果芳香，还具有很高的营养价值，含有丰富的维生素C，有助消化的功效，还含有胡萝卜素，对人的眼睛也是极好。小朋友们可以在草莓自然成熟的季节多多品尝哦。

致 谢

 本书中，果，即因果，是自然界的规律；仁，即仁爱，是人完成生命旅程的至高境界。

果仁，指那些明理、充满梦想、仁爱、勇敢的种子。

衷心感谢沈鹏先生和袁熙坤先生对我的启迪和支持，以及所有为本书的出版提供帮助的朋友！

特别感谢我的爱人晓玫在本书长达三年多的创作时间里的倾心投入，祝愿我们用心播种的这颗种子，为启发更多儿童的想象力和爱心发挥作用。

因仁而果——果仁小镇之歌

词／张合军

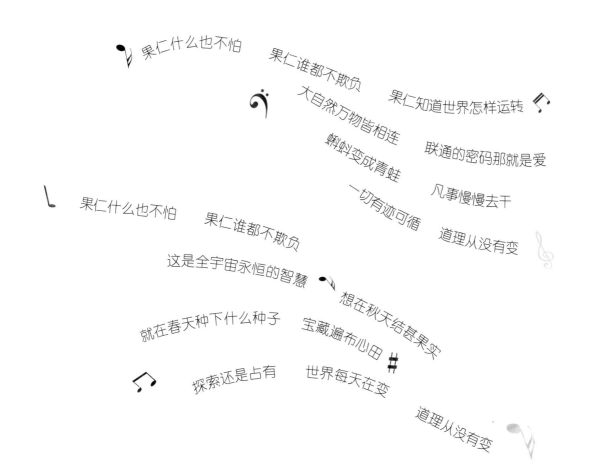

果仁什么也不怕

果仁谁都不欺负

果仁知道世界怎样运转

大自然万物皆相连

蝌蚪变成青蛙

联通的密码那就是爱

一切有迹可循

凡事慢慢去干

道理从没有变

果仁什么也不怕

果仁谁都不欺负

这是全宇宙永恒的智慧

想在秋天结甚果实

就在春天种下什么种子

宝藏遍布心田

探索还是占有

世界每天在变

道理从没有变